D1777925

HORST BESELER

Die Linde vor
Priebes Haus

HORST BESELER

Die Linde vor
Priebes Haus

Illustrationen von Gerhard Rappus

Der Kinderbuchverlag Berlin

ISBN 3-358-00617-4

6. Auflage 1986
© DER KINDERBUCHVERLAG BERLIN – DDR 1976
Lichtsatz: INTERDRUCK Graphischer Großbetrieb Leipzig – III/18/97
Druck: Messedruck, Leipzig
Buchbinderische Verarbeitung: LVZ-Druckerei »Hermann Duncker« Leipzig
LSV 7511
Für Leser von 12 Jahren an
Bestell-Nr. 628 787 9
00480

I

Ich wollte zu Gunna und achtete kaum auf den kleinen Mann mit dem karierten Sturzhelm und dem Jägerrucksack. Erst als er über das rotweiße Straßengeländer stieg und auf den Baum zuging, hielt ich an. Seit sie die Kreuzung zum Kreisverkehr umgebaut haben, steht der Baum auf einem Inselchen aus Bordsteinen. Mitten im Asphalt. Argwöhnisch verfolgte ich, wie der Mann den Rucksack herunternahm. Und wie er abschätzend nach oben spähte. Und langsam um den dicken Stamm der Linde herumschritt. Sofort mußte ich an Gunna denken.

»Was wolln Sie denn da?« schrie ich.

Mit einer barschen Geste gebot mir der Mann, näher zu kommen. Ich schielte rasch zu Priebes gelbem Haus hinüber. Das Fenster von Gunnas Zimmerchen im Mansardenhaus stand offen, doch war die Gardine vorgezogen. Aus Richtung Brederow kam an den alten Scheunen vorbei ein großer Kühllader ins Dorf gefahren. Hier vor der Kreuzung minderte er die Geschwindigkeit. Bremsen zischten. Als das Auto schwerfällig auf die Hauptstraße einbog, streiften Zweige den hohen Wagenkasten. Aber auch der Laster wirkte winzig unter dem riesigen grünen Laubgewölbe des Baumes.

»Du sollst mal herkommen!« verlangte der Mann. Oben im Wipfel zeterten Stare.

»Lassen Sie den Baum in Ruhe! Wer schickt Sie eigentlich?«

»Bezirk. Amtlich.«

Nun ging ich doch hinüber. Das staubige Motorrad des Unbekannten war außerhalb der Kreuzung aufgebockt. Dort hatten letzte Woche noch die Bauwagen gestanden. Der kleine Mann trug einen altmodischen grauen Schnurrbart mit Zipfeln. Der karierte Sturzhelm paßte nicht dazu. Auch machte er ihm den Kopf groß. Unwillkürlich mußte ich an einen Fliegenpilz denken. Doch die Augen in dem wetterbraunen Gesicht blickten scharf, als mich der Mann nach meinem Namen fragte.

»Alice.«

»Ganz vornehm, wie eine Dame aus England. Kannst mir gleich mal helfen …« Er begann in seinem Rucksack zu kramen. Ein dicker Hammer kam zum Vorschein.

Ich trat auf den Damm zurück und blickte mich um. Niemand zu sehen. Die Leute aus dem Dorf waren alle draußen in der Gerste. Vom Kirchturm schlug es eben drei. Ich fragte mich, ob ich zu Vater auf die Gemeinde rennen sollte.

»Also, dann werden wir man …«, sagte der Un-

bekannte. Ein Schimmer von Spott oder Heiterkeit stand in seinen wachen Augen. Noch
immer hatte ich keine Ahnung, was er überhaupt wollte. Zugleich ärgerte mich, daß er
meinen Namen komisch fand.

»An dem Baum hier hat keiner was zu suchen!«
stieß ich wütend hervor. »Wenn Sie nicht bald
abhaun, hol ich die Polizei!«

»Gut«, sagte der Mann ungerührt, »bring eine
Leiter mit.«

Ich stutzte. »Leiter ..., wozu?«

Er wippte mit dem dicken Hammer. Danach
reckte er sich ein bißchen, als ob ihm der Rükken weh täte.

»Brauchen wir.«

»Könnte ja jeder kommen und ...«

Ich brach ab. Mit einemmal kam ich mir albern
vor.

Das Gesicht unter dem plumpen Sturzhelm lächelte unversehens. »Was ist hier eigentlich
passiert, Alice?«

»Kann man nicht so erzählen, mit ein paar
Worten«, erwiderte ich unschlüssig. Die Gardine in Gunnas Fenster wehte sacht, als ob sich
jemand dahinter bewege. »Ist auch gar nicht
Ihre Sache.«

»Dann wollen wir wenigstens die Leiter holen.
Von wem?«

»Leitern haben hier alle.«

Ich weiß nicht, warum ich mitging. Vielleicht, weil er sich so gereckt hatte. Etwas mißtrauisch war ich noch immer. Doch wahrscheinlich hatte ich mich ganz umsonst aufgeregt. Was sollte der kleine Mann mit seinem Hammer gegen den Baum schon ausrichten? Jetzt konnte man ihm nichts mehr anhaben. Und die Linde war viel zu groß. Und fast so hoch wie der Kirchturm. Und die mächtige Krone verdeckte den Himmel über uns völlig.

II

Der erste Zwischenfall hatte sich in *Deutsch* bei Fräulein Kugler ereignet. Es muß so Mitte Juni gewesen sein. Draußen stand gleißender Sonnenschein. Die Luft über dem Schulhof flimmerte. Alle in der Klasse waren ein bißchen abgespannt. Sogar Fräulein Kugler sprach weniger flott als gewöhnlich. Mehrmals nahm sie ihr Taschentuch heraus, um sich den Schweiß von den Schläfen zu tupfen. Natürlich verwünschten wir die grammatikalische Gliederung vorn auf der Tafel und dachten sehnsüchtig an Hitzefrei. Dennoch versuchten die meisten aufzupassen. Unsere Klassenlehrerin konnte notfalls ziemlich streng sein. Außerdem würde es bald Zeugnisse geben.

Gegen Ende der Stunde wurden einige abgefragt. Bolle stotterte vor Bedrängnis und ächzte erleichtert, als er sich setzen durfte. Es dauerte eine Weile, bis sein frecher Marderblick wieder umherschweifte. Quitti von der Hühnerfarm wußte selbstverständlich alles. Gestikulierend, Gelehrtenfalten auf der Stirn, erklärte er mit dünner Stimme mehr, als von ihm verlangt worden war. Wortlos schüttete Fräulein Kugler Kölnischwasser auf ihr Taschentuch. Die nächste Frage sollte Gunna beantworten. Eine Antwort blieb aus.

Nicht einmal aufgestanden war Gunna. Zusammengesunken saß sie auf ihrem Platz neben mir und starrte unverwandt ins Leere. Sie hatte die Aufforderung ganz offenbar überhört.

Raunen lief durch die Klasse. Gunna gehörte zu den guten Schülern, mitunter sogar zu den besten. Weder ihr Eifer noch ihr Betragen ließen sonst zu wünschen übrig. Bolle, der schräg vor uns saß, kicherte und drehte sich neugierig um. Warnend stieß ich Gunna an. Im selben Augenblick wiederholte Fräulein Kugler nachdrücklich: »Gundula Priebe!«

Verwirrt sprang Gunna auf. Die Lehrerin näherte sich unserer Bank, schlank und gespannt.

Ich spürte den Früchteduft des Kölnischwassers.

»Wiederhole meine Frage!«

Da Gunna schwieg, forschte Fräulein Kugler ungläubig: »Du weißt nicht einmal, wovon ich gesprochen habe …?«

Vor Betroffenheit und Scham preßte Gunna die Lippen zusammen. Dann schluckte sie schwer. In der anderen Bankreihe meinte der große Simoneit langsam: »Vielleicht ist ihr schlecht?«

Fräulein Kugler schien es zu überhören. Gereizt erkundigte sie sich bei Gunna: »Da du

schon nicht am Unterricht teilzunehmen geneigt bist, wird man wenigstens erfahren dürfen, worüber du so angestrengt nachdenken mußtest?!«

Gunna schaute zu Boden. Ihr rundes Gesicht war mit einemmal fast schmächtig geworden. Unter dem Ohr pochte eine Ader. Mittlerweile wirkte Gunnas Schweigen verstockt und herausfordernd.

Fräulein Kugler trat etwas zurück. Die Riemchen ihrer Sandalen knisterten. Augenscheinlich hatte sie Mühe, sich zu beherrschen. Wir warteten auf das Donnerwetter. Bolle nahm seine lümmelig ausgestreckten Beine unter die Bank und zog den rotborstigen Kopf zwischen die Schultern. Aber da entspannte sich Fräulein Kuglers Miene wieder. Der Zorn wich einem Ausdruck von Ungewißheit und Besorgnis. Ich begriff das ebensowenig wie Gunnas merkwürdiges Gebaren.

»Zumindest solltest du dich entschuldigen«, empfahl die Lehrerin verhalten. »Gehört sich einfach, nicht wahr? Oder … bist du krank?«

»Nein«, stieß Gunna plötzlich hervor. Um die Mundwinkel flog ein feines Zittern. »Wirklich nicht. Es tut mir leid. Es war nur …«

Nach dieser hastigen Andeutung kam nichts mehr. Fräulein Kugler wartete noch eine halbe

Minute. Dann ließ sie die Sache auf sich beruhen. Aber daraus klug geworden war sie offenbar auch nicht. Im Fortgehen streifte mich ihr ernster Blick: als ob ich Auskunft geben könnte oder gar mitverantwortlich sei für die Unaufmerksamkeit meiner Nachbarin und Freundin Gunna.

III

In der Pause brauchten wir der Hitze wegen nicht auf dem Hof im Kreis zu gehen, sondern durften uns im Schatten der Gebäude aufhalten. Jenseits des Schulgartens bullerten Traktoren vorbei. Sie brachten Anhänger mit hohen Drahtgattern voller Grünhäcksel von den Feldern. Dieseldunst trieb herüber. Ich hockte mit einigen anderen im halbleeren Gestänge des Fahrradständers. Das Blechdach über uns knackte in der Sonnenglut, doch hier unten ging ein leichter Luftzug. Gunna war gleich zu Beginn der Pause verschwunden.
»Die Nerven von der möcht ich haben ...«, tratschte Bolle voller Verwunderung, » ...pennt die doch mitten im Unterricht! Wie auf 'm Sofa! Unsereinem hätte die Kuglern glatt zwei Stunden aufgeschwartet, ohne jedes Federlesen. Letzten Freitag ...«

»Du stehst ja sowieso bei ihr auf der Liste«, spottete jemand, »gewissermaßen … vorbestraft!«

»Was heißt hier Liste?« empörte sich Bolle großspurig. »Dem einen kliert sie'n Tadel ins Klassenbuch, bums, ehe du dich versehen hast, und dem anderen würde sie vor lauter Gnade bald den Kopp kraulen. Schöne Gerechtigkeit, na!«

Einige nickten träge. Gunna war wirklich über die Maßen glimpflich behandelt worden. Aber jetzt hatte kaum einer Lust, sich sonderlich über den Fall aufzuregen. Es war einfach zu heiß.

Außerdem wußte man längst, daß Bolle schon beim geringsten Anlaß loszuklatschen liebte und sich mit allem wichtig machen wollte. Zu Hause im Konsum hatte er nichts zu melden. Da schmissen ihn seine beiden älteren Schwestern raus, sobald er nur einen frechen Rand riskierte, oder seine Mutter machte ihm Beine. Bolles Schwestern gingen bereits in die elfte Klasse.

»Aber das schärfste bei olle Gunna war natürlich …«, lästerte er nun weiter, »… wie sie so schön dämlich dagestanden ist und nicht mal draufkommen konnte, der Kuglern 'ne Ausrede anzudrehen! Daß sie an ihre liebe Oma

denken mußte, weil die krank ist, oder irgend solche Kiste … Hätte uns passieren sollen!«

Quitti von der Hühnerfarm ruderte plötzlich gestikulierend mit den Händen. Das geschah häufig, wenn er sich ins Gespräch mischen wollte und seine Schüchternheit überwinden mußte. Doch er brachte nur ein unverständliches Fremdwort heraus.

Der große Simoneit hatte solange geschwiegen. Die Ellenbogen schwer auf die Knie gestützt, starrte er nachdenklich über den Hof. Endlich sagte er leise: »Sie ist schon seit ein paar Tagen so.«

»Wer, Gunna …? Wie?«

»Anders. Einfach anders.« Simoneits heller Blick begegnete mir. »Daß dir nichts aufgefallen ist!«

»Da könnte etwas Psychologisches vorliegen!« äußerte Quitti überraschend deutlich und vollführte eine bohrende Handbewegung. Man achtete nicht auf ihn. Keiner verstand, was Quitti eigentlich meinte. Und da begann Bolle kicherig auch gegen mich loszuziehen.

»Aufgefallen …, jawoll! Pack mal Gunnas Geheimnisse aus, Alicchen, ihr seid doch sonst so dick miteinander, ihr beiden Hübschen!«

Simoneit runzelte die dicken blonden Brauen. »Laß das Blödeln, Bolle!«

16

Unter allgemeinem Gelächter erklärte Bolle: »Werd euch sagen, weshalb Alice nichts weiß … Die haben alle beide gepennt!«

»Du Affenesel!«

Ich rannte weg. Simoneit hätte mein Erröten bemerken können, wäre ich noch länger dageblieben. Ich wollte es ihn nicht merken lassen. Und die anderen sollten es schon gar nicht merken. Ich rannte auch weg, weil ich nicht einsah, mich für Gunnas Schlafmützigkeit hänseln lassen zu müssen. Schon Fräulein Kuglers Blick hatte mich geärgert.

Schließlich entdeckte ich Gunna im Waschraum. Sie lehnte an der Kachelwand neben dem Waschbecken. Ich tat gleichgültig und ließ mir unterm Hahn Wasser übers Gesicht laufen und maulte ein bißchen wegen der Hitze. Gunna blieb einsilbig. Dann sagte ich ihr auf den Kopf zu, daß sie etwas verheimliche. Gunna stritt es ab.

Sprachlos musterte ich sie. Ich hatte überhaupt nicht daran gezweifelt, daß Gunna sich mir anvertrauen würde.

Untersetzt, etwas kleiner als ich, stand sie da in ihrem blauen Trägerkleid und sah aus wie an anderen Tagen. Allerdings war sie blaß. Die Sommersprossen auf Stirn und Nase traten stärker hervor.

Beleidigt sagte ich: »Na schön, wenn du kein
Vertrauen zu mir hast ...«
»Du kannst da nichts machen.«
»Also ist doch was los?!« fuhr ich sie an.
Sonst erzählten wir uns alles: Welche Kleider
wir mochten, was wir später machen wollten,

und wir waren auch ganz offen zueinander in geheimen Mädchensachen, von denen die Jungen nichts zu wissen brauchten. Um so mehr brachte mich Gunnas Verschlossenheit nun auf. Vor lauter Gekränktsein war es mir ganz egal, ob meine Fragerei sie quälte.

»Himmelnochmal, so rede endlich …!«

»Geht keinen was an.«

»Mich auch nicht?«

Gunna wandte das Gesicht zur Seite. Aus ihrer Pferdeschwanzfrisur hatten sich einige Strähnen gelöst und wippten neben der Wange. Nach einer Weile sagte Gunna still: »Das würdest du ja doch nicht verstehn.«

Mir wurde es zuviel. Von der Tür schrie ich zurück: »Dann werd doch mit deinem Kram alleine fertig! Bloß schleich nicht so herum wie eine Knicklilie, daß es jeder in der Klasse merkt und schon alle darüber reden!«

IV

Während der nächsten Tage passierte nichts. Gunna blieb scheu und schweigsam. Mitunter kam es mir vor, als habe sie mit einer verborgenen Furcht zu kämpfen. Einmal mußte Gunna nach der Stunde zu Fräulein Kugler. Niemand erfuhr, was dabei besprochen wurde – oder ob die Lehrerin überhaupt etwas aus ihr herausbekommen hatte. Das Interesse der anderen in der Klasse wurde erneut wach. Man rätselte, aber schließlich kümmerte sich kaum noch jemand um die Angelegenheit. Lediglich Bolle zog weiter über Gunnas Heimlichtuerei her. Er nannte sie schrullig. Bolle brauchte immer jemand, den er verflachsen konnte.

Obwohl ich spürte, daß sie wirklich etwas bedrückte, behandelte ich Gunna kühl. Ich gefiel mir in meinem Groll. Stets hatte ich zwischen uns den Ton angegeben. So glaubte ich ein Recht darauf zu haben, Gunnas Sorgen zu erfahren, und hielt ihr Schweigen für bloße Bokkigkeit. Zwar hatte sich Gunna auch im letzten Jahr schon einmal still und zurückhaltend gezeigt, aber das war gleich nach ihrer Krankheit gewesen. Ich hatte nicht lange nach einer Erklärung zu suchen brauchen. Jetzt dagegen blieb alles rätselhaft. Und Gunna wurde immer seltsamer.

Beispielsweise: Da hatte gestern ihr grüner Füller unter der Bank gelegen. Er mußte heruntergefallen sein, ohne daß sie etwas davon merkte. Gunna gab sonst sehr auf das hübsche Ding mit dem goldenen Clip acht. Der Vater

hatte ihn ihr aus dem Ausland mitgebracht. Als
ich Gunna den Halter wiedergab, umschloß sie
ihn hastig mit beiden Händen – wie einen Ge-
genstand, den ich nicht sehen durfte.
Trotz meines Grolls mußte ich über Simoneits
Bemerkung nachdenken. Daß ihm Gunna bereits vor dem Zwischenfall mit Fräulein Kugler

verändert vorgekommen sei. Einfach anders.
Mir selber war nichts aufgefallen.

Immerhin erinnerte ich mich, daß wir uns in
der letzten Woche weniger als sonst getroffen
hatten. Außerhalb der Schule, meine ich. Ich
war dauernd von Vater eingespannt gewesen.
Wegen dieser dämlichen Käfer, die man in den
Spätkartoffeln gefunden hatte. Die Laufereien
zur LPG und das Herumgesitze am Telefon
hatten erst ein Ende genommen, als das Flugzeug eintraf. Es ging auf einer plattgewalzten
Fläche zwischen dem Dorf und Brederow nie-
der. Die kleine Maschine brummte dann zwei
Tage lang über die Felder und blies aus einem
flachen Trichtermaul hinter dem Fahrgestell
lange Schwaden grauen Staubs auf die Kartoffeln herab.

Falls Simoneit recht hatte, dann mußte schon
in dieser Zeit irgend etwas mit Gunna geschehen sein. Aber was? Für gewöhnlich kam
Gunna von selbst bei mir an, um sich auszu-
heulen, wenn sie etwas auf dem Herzen hatte,
oder um vor Freude herumzutanzen. Seit der
Kindheit, als wir noch Hopse spielten und
träumerische Märchen lasen, hatten wir uns
fast jeden Nachmittag getroffen. Entweder in
Gunnas Mansardenzimmerchen, vor dessen
Fenster über der Kreuzung die alte Linde auf-

ragt, oder bei uns auf der Gemeinde, in meiner Kabuse neben Vaters Büro. Das unterblieb nun auch. Wir sprachen kaum mehr miteinander. Etwas stand zwischen uns.

V

Am Freitag waren wir alle auf der alten Werft. Baden. Fräulein Kugler hatte die Klasse in Gruppen eingeteilt. Während die einen zwischen den verwitterten Kanalstegen um die Wette kraulten, spielten andere auf dem leicht geneigten Uferplatz Volleyball. Den Rest hatte Fräulein Kugler im Flachwasser um sich versammelt. Es waren diejenigen, die noch nicht schwimmen konnten und Froschübungen machen mußten. Quitti zählte dazu.

Die Werft, an deren einstige Bestimmung vereinzelte krautüberwucherte Gleitschienen erinnerten, hallte wider von Lachen und Geschrei. Manchmal zogen draußen Schleppkähne vorbei. Meist raste ein kleiner Schifferhund kläffend an der Reling hin und her. Die Jungen versuchten die tiefliegenden Kohlezillen zu entern. Fräulein Kugler mußte sie zurückpfeifen.

Später lag ich abseits unter den Weidenbüschen im warmen Gras und beobachtete Simoneit. Mir gefiel, wie er federnd von den Planken abschnellte und eine Viertelsekunde lang mit ausgebreiteten Armen über dem Wasser schwebte. Immerzu hätte ich ihm so zusehen können.

Daß schließlich Bolle und Quitti angetrottet kamen, verdroß mich. Bolle hatte sich beim Entern der Kohlezillen die ganze Brust eingeteert, aber er grinste noch darüber.

»Alice genießt die Einsamkeit, ach Gottchen!«

»Besser als dein schwarzer Bauch«, erwiderte ich mürrisch. »Kriegst du in Ewigkeit nicht ab.«

»Sandpapier.«

»Man müßte ein Lösungsmittel zur Anwendung bringen. So etwas Chemisches«, empfahl Quitti ernsthaft. Statt seines sonstigen Händefuchtelns vollführte er ein paar halbe Schwimmbewegungen.

»Benzol.«

Ich schimpfte: »Was kommt ihr überhaupt angekleckert ...?«

»Weil du jetzt immer so alleine bist.« Bolles Marderblick befunkelte mich und huschte dann hinüber zu den Volleyballern. »Daß du uns man nicht schwermütig wirst, Alicchen.

Schon rausgekriegt, weshalb sie so trieselig tut?«

»Vielleicht gibt sie's dir schriftlich ...«

Gunna spielte in der einen Mannschaft. Sie schien vollkommen bei der Sache zu sein, nur daß sie eben nicht schrie und lachte wie die andern. Ich hatte sie bereits vorhin beobachtet. Auch Fräulein Kugler spähte gelegentlich zu ihr hinüber. Im Grunde war es mir egal. Jedenfalls wünschte ich, daß es mir egal sei.

Bolle schob den Borstenkopf näher. »Daß ihr alle nicht draufkommt, weshalb sie den trüben Otto markiert ... Die Priebes wollten ja schon mal auseinander, im letzten Jahr ... Bestimmt haben sie wieder Qualm in der Küch'.«

»Der Vermutung würde ich aber nicht beipflichten«, widersprach Quitti so vorsichtig und stockend, als müsse er für seinen Einwand um Entschuldigung bitten. Das Schwimmgehampel hatte er eingestellt. »Ich hab sie am Sonntag noch alle spazierengehen sehen, an den Luchwiesen ... Frau Priebe und Gunnas Vater und Gunna. Sogar untergehakt schritten sie dahin ... Gunna und ihr Vater haben zusammen irgendwas gesungen, richtig lustig.«

Falten wölkten Quittis gelbliche Stirn. Bedeutungsvoll ergänzte er: »Da war alles ganz harmonisch.«

26

»Harmonisch!« äffte Bolle. »Du läßt immer solche Korken steigen, vor'n paar Tagen war's noch … psychologisch. Klingt nach Temperatur?«

»Nein, es handelt sich um Erscheinungen des Seelenlebens.«

»Von mir aus auch so was, mein lieber Scholli. Jedenfalls haben die Weiber bei uns im Laden damals sogar von Scheidung gequatscht und daß Gunnas Alter überhaupt nicht mehr nach Hause kommen wird von seinen Baustellen außerhalb …«

»Er ist aber nach Hause gekommen!«

Simoneit stand plötzlich da und sah verweisend zu uns hinunter. Auf seinen braunen Beinen perlte noch Wasser. Bolle lachte glucksend, vor lauter Albernheit.

»Versteh gar nicht, was es da zu grinsen gibt. Solche Sachen sind nicht zum Grinsen.«

Bolle zog den Kopf ein. Verlegen begann er sich die Brust zu kratzen. Offenbar wurden ihm die Teerflecken nun doch unbehaglich.

»Also, Mensch, wer sagt denn was? Bloß, daß er andauernd wieder losfährt, der Alte von Gunna, auf Montage. Wär kein Wunder, wenn er mal ganz wegbleibt.«

Nachlässig redete ich dahin: »Unsere Eltern sind's ja nicht.«

»Das ist auch 'n Standpunkt ...«, sagte Simoneit langsam und verzog den Mund, während er mich ansah. Dann blickte er fort. Ich spürte, wie mir das Blut ins Gesicht schoß.

VI

Nach Hause radelten wir wieder durch den Wald. Fräulein Kugler fuhr am Ende der Kolonne. Längs der Schneisen blühten die Brombeeren. Kurz hinter der Bäkebrücke, wo ein anderes Gestell den Weg kreuzt, gab es einen Aufenthalt. Traktoren von der Forst schleppten Langholz querüber.

Das waren einzelne, sehr starke und sehr lange Stämme. Schwere Ketten hielten sie auf weit auseinandergeschobenen Radsätzen. Die breiten Schnittflächen am Wurzelfuß waren noch ganz frisch. Harz glänzte.

Als der erste Traktor vorübergerumpelt war, entstand am Rande unseres aufgestauten Schwarms eine jähe Bewegung. Gunna war unversehens davongefahren, überstürzt, in blinder Eile. Von hinten warnte Fräulein Kugler erschrocken: »Gundula ...!«

Verblüfft sahen wir Gunna nach. Dann faßte sich Simoneit und nahm die Verfolgung auf.

Hastig folgte ich ihm. Bolle in seiner Neugier wollte ebenfalls mit. Doch er rutschte von dem Pedal ab und fiel mit seinem Rad in die Menge der anderen. Es entstand ein Durcheinander. Simoneit und ich gelangten gerade noch durch die Lücke zwischen dem voraufgegangenen und dem nachfolgenden Traktorengespann. Danach war der Weg aufs neue blockiert. Jemand schrie uns etwas hinterher. Der Ruf ging im Motorenlärm unter.

Als wir nach .einer ziemlichen Jagd die freie Asphaltchaussee erreichten, war Gunnas Vorsprung schon sehr zusammengeschrumpft. Sie mußte uns auch bemerkt haben. Dennoch floh sie weiter. Wir hätten Gunna bereits vorm Dorf eingeholt, wäre nicht auf der letzten Strecke die automatische Schranke heruntergegangen. Eine Diesellok mit einem langen Schwanz von Kesselwagen mußte durch.

»Sie hat plötzlich losgeheult ...«, keuchte Simoneit, während wir vor der rhythmisch blinkenden Warnampel warteten.

»Wie ... losgeheult?« Auch ich bekam kaum Luft.

»Weshalb?«

»Da im Wald ... Als wir da standen und sie die Bäume vorbeischleppten.«

»Die Trecker?«

»Ja, die mit den Bäumen. Die sie grad gefällt hatten.«

Gunnas Rad lag am Torweg von Priebes gelbem Haus. Simoneit und ich rannten auf den Hof. Die Windfangtür, neben der Pantinen und Wassereimer standen, war verschlossen. Von der Seite konnten wir in die Veranda blicken. Der Schlüssel stak innen im Schloß. Das Holzbrettchen, mit dem er markiert war, pendelte noch an der Schnur.

»Vollkommen still«, sagte Simoneit besorgt.

»Frau Priebe hat sicher Dienst auf'm Stellwerk. Sonst wären ja Stimmen zu hören. Irgendwas.«

»Ob wir hinfahren und es ihr sagen?«

»Was denn ... sagen?« Ich hatte keine Lust. Schon genug, daß wir uns eben die Lunge aus dem Hals hetzen mußten. Und alles nur wegen dieses Verrücktspielens. »Wenn Frau Priebe Dienst hat, kann sie sowieso nicht vom Stellwerk weg. Die Signale ...«

»Wir wissen überhaupt nichts. Ob es was Ernstes ist oder so. Nichts«, murmelte Simoneit unschlüssig. Danach stand mit einemmal wieder dieser verweisende Zug um seinen Mund. Obwohl Simoneit sehr leise sprach, wäre es mir nicht viel anders vorgekommen, wenn er geschrien hätte. »Du bist doch ihre Freundin.

Willst du so zusehn, wie sie sich kaputt macht …?!«

Ich wußte ein schmales Oberfenster im Anbau. Gunna benutzte es manchmal, wenn der Schlüssel verlegt war. Simoneit faltete die Hände zu einem Tritt. Ich stieg hinein und kroch mit Mühe durch den Einlaß. Dämmerlicht. Ein Zuber schepperte. In der hellen Küche war niemand. Alles so sauber und aufgeräumt, als wäre nie etwas gebraucht worden. Das blaue Eisenbahnerkäppi von Frau Priebe fehlte am Haken. Ich sperrte die Windfangtür von innen auf und ließ Simoneit ein. Er betrat das Haus nur zögernd. Auf der Bodentreppe hörten wir das Weinen oben im Mansardenzimmerchen.

Gunna lag schräg übers Bett geworfen. Das Gesicht hatte sie in den Armen vergraben. Der ganze Körper bebte. Der Rock bedeckte Gunna nicht mehr ordentlich. Ein Turnschuh war ihr vom Fuß gerutscht.

Nun tat sie mir von neuem leid. Ich setzte mich auf den Bettrand und streichelte ihre Schulter und suchte nach Worten. Allmählich ließ Gunnas Weinen nach. Leise fragte ich: »Warum du bloß nichts sagst?«

Plötzlich warf sich Gunna herum. Sie umschlang mich und preßte ihr Gesicht wie

schutzsuchend an meine Hüfte. Sie stammelte
etwas. Es klang dumpf und abgerissen.
»Der … Baum … soll weg …!«
Ich verstand nicht sogleich. Welcher Baum?
Was gingen Gunna die Holzfuhren im Wald
an? Dann schaute ich hoch. Da war das Fenster

mit der zur Seite gerafften Tüllgardine und dahinter die dichten Laubmassen der Linde. Sie füllten das Geviert des Fensters völlig aus. Ein helles Grün, übersprenkelt von unzähligen weißgelben Pünktchen. Die Linde hatte gerade zu blühen begonnen.

Verzweifelt wiederholte Gunna: »Sie wolln den Baum abhauen!«

»Na sicher ... Heulst du dir deswegen die Augen aus?«

Mir war unklar, woher sie von der geplanten Beseitigung der Linde wußte. Die Maßnahme war erst vor kurzem beschlossen worden. Die Straße mußte verbreitert werden. Ich hatte nebenher im Büro davon gehört und mich nicht weiter drum gekümmert. Die Käfer in den späten Kartoffeln machten uns weiß Gott genug zu schaffen.

Um so abwegiger erschien es mir nun, daß sich Gunna ausgerechnet wegen des Baumes so hatte. Wer wollte schon mit solcher Albernheit rechnen? Da ich Gunnas Niedergeschlagenheit nicht nachfühlen konnte, wurde mir auch ihr Anschmiegen lästig. Ich rutschte ein Stück auf der Bettkante zur Seite.

»Möcht mal wissen, warum du eigentlich jammerst ... Der Baum gehört doch gar nicht euch.«

»Er hat immer bei uns vorm Haus gestanden …!« schluchzte Gunna erneut auf.

»Eines Tages müßte er sowieso verschwinden. Wenn ihn der Sturm umschmeißen würde, könntest du auch nichts machen.«

»Den kann gar kein Sturm umschmeißen.«

Schon ärgerte ich mich wieder über Gunnas unbegreifliche Halsstarrigkeit. Auch schien mir in ihren Worten ein Vorwurf verborgen. Ich wartete darauf, daß sich Simoneit einmischen würde. Doch ich mochte mich nicht zu ihm umdrehen. Jetzt nicht.

Schließlich erinnerte ich Gunna kühl: »Warum seid ihr dann nicht zur Gemeinde gegangen, deine Mutter oder wer? Vater hätte euch schon Bescheid gegeben. Solche Beschwerden bearbeiten sie ziemlich schnell.«

Gunna hob rasch den Kopf. »Meinst du wirklich …?«

»Was denn sonst!« versetzte ich hochfahrend. Simoneits Schweigen irritierte mich. »Dazu sind sie ja da auf der Gemeinde. Man muß bloß ganz genau sagen, warum man etwas will oder … nicht will. Sie brauchen eine richtige Begründung.«

»Nein«, fiel sie mir leise und bestimmt ins Wort. Wieder hatte ich das Gefühl, mit meiner ganzen nüchternen Zurederei gegen einen

Zaun gerannt zu sein, hinter dem Gunna sich geheimnistuerisch verbarg. Mein alter Groll kehrte zurück. Mir wäre lieber gewesen, wenn sie ordentlich geschimpft und geschrien und jemand wegen des Baumes beschuldigt hätte. Oder wenn sie mich zumindest angefleht hätte, noch mal mit Vater auf der Gemeinde zu sprechen, ob der Beschluß denn wirklich nicht rückgängig zu machen sei. Das wäre jedenfalls verständlich gewesen.

»Sie hätten dich ja vorher fragen können«, murrte ich überdrüssig und wollte mich nun doch zu Simoneit umdrehen. Aber diesmal antwortete Gunna zu meiner Verblüffung sofort. Und obwohl sie nachher wieder zu weinen anfing, setzte mich noch mehr in Erstaunen, daß sie in diesem Augenblick trotz aller Niedergeschlagenheit fast besonnen sprechen konnte. Gunna sagte: »Sie werden sich's schon genau überlegt haben, warum der Baum nicht ... bleiben kann. Dein Vater und die anderen. Dafür sind sie ja gewählt von allen im Dorf. Und ... wenn so viele was entschieden haben, kann man's doch nicht mehr auslöschen ..., nur wegen eines ... einzelnen.«

Simoneit war nicht mehr da. Ich erkannte es aus den Augenwinkeln. Vor einer Minute vielleicht oder auch erst vor ein paar Sekunden hatte er seinen Platz an der Tür verlassen. Und da bei Simoneit Ängstlichkeit keine Rolle gespielt haben konnte, mußte er sich aus Rücksicht auf Gunnas Verzweiflung entfernt haben. Das gab mir einen Stich und brachte mich vollends in Wut.

»Himmel noch mal, was willst du dann überhaupt?!« herrschte ich Gunna ungeduldig an. »Weshalb rennst du schon tagelang so plärrig umher wie jemand, bei dem wer in der Familie gestorben ist? Lauter dumme und blödsinnige und unnütze Aufregung! Und alles nur wegen dieses ... dieses alten Dings vor eurer Tür!«

Unvermittelt fuhr Gunna auf. Erbittert starrte sie mich an. Ihr rundes und tränennasses Gesicht war plötzlich erfüllt von einer feindseligen, haßgeladenen Härte. Ihre Stimme klang fremd und heiser. »Was du sagst ...! Sag das nicht noch mal ... ›altes Ding‹! Wie kalt du sein kannst! Wenn du nur ein bißchen verstehen würdest, daß der Baum für jemand ... mehr bedeuten kann als einen zufälligen Haufen von Blättern und Zweigen!«

»Ach, mach dich noch wichtig mit deinem Affentheater!« schimpfte ich zurück. Vor Zorn wurde mir die Kehle eng. Erbost trat ich zum Fenster.

Die Linde beherrschte das ganze Blickfeld. Sie

verdeckte alles, was sonst vom Dorf zu sehen gewesen wäre. Wie ein ungeheurer, hochgewölbter Schirm stand sie zehn oder zwölf Meter vorm Haus über der gekrümmt verschobenen Einmündung der Brederower Chaussee in die Hauptstraße. Ein feines und unablässiges Summen schwang in der Luft. Die Bienen.

Unten bei den Rädern wartete Simoneit und schaute herauf. Seinen Gesten konnte ich entnehmen, daß er bereits alles wußte und sich nicht schlüssig war, was weiter geschehen sollte. Also hatte er unseren Wortwechsel von unten mit anhören können. Ich zuckte die Achseln. Hier war ja doch alles umsonst. Schließlich bedeutete ich Simoneit mit einem nachlässigen Fingerpochen an die Stirn, daß ich Gunnas Gejammer für die reinste Verrücktheit hielte.

Simoneits Miene verfinsterte sich vor Mißbilligung. Er schien noch etwas sagen zu wollen, beließ es dann aber bei einer verächtlichen Handbewegung. Gleich darauf schwang er sich auf sein Fahrrad und fuhr davon.

Als ich mich Gunna erneut zuwandte, lag sie wieder auf der Seite und hatte das Gesicht zur Wand gekehrt. Offenbar wartete sie nur noch auf mein Verschwinden.

VII

Kurz vor der Gemeinde mußte ich unserer Lehrerin Auskunft geben. Sie war inzwischen von der Werft eingetroffen und hatte die Klasse nach Hause entlassen.

Während ich ihr mißmutig von Gunnas Verhalten berichtete, stand Fräulein Kugler schweigend gegen den Sattel gelehnt und blickte nachdenklich zu Boden. Die eine Sandalenspitze malte langsam Kreise in den Sand.

Erst nach einer ganzen Weile meinte Fräulein Kugler ernst: »Dann habe also ich der armen Gundula diesen Stachel in die Seele gerannt ...?!«

Es stimmte wirklich. Obwohl es mich gegenwärtig nicht sehr interessierte, erinnerte ich mich daran. Es war an einem der beiden Tage geschehen, als das Kartoffelflugzeug in regelmäßigen Abständen mit Gedonner über die Schule brauste und die Fensterscheiben vibrieren ließ. Da hatte unsere Lehrerin schließlich von den großen technischen Veränderungen im Dorf zu sprechen begonnen, für die gerade das Flugzeug ein wunderbares Beispiel sei. Daß nämlich Maschinen den Menschen in immer stärkerem Maße von der anstrengenden Handarbeit befreiten. Und daß moderne und weiträumige Betongebäude an die Stelle der alten dumpfen Ställe rückten. Und daß man an einigen Orten die Milch bereits durch lange Rohrleitungen in die Molkerei pumpe.

Allerdings käme es auch manchmal vor, daß im Verlaufe dieser ganzen Entwicklung alte Wahrzeichen des Dorfes verschwinden müßten, wie unsere Linde an der Kreuzung etwa, die man zugunsten einer Straßenbegradigung beseitigen wolle.

Davon freilich hatte Fräulein Kugler nur ganz nebenbei gesprochen. Und es hatte uns – außer Gunna, wie ich nun wußte – nicht im geringsten beschäftigt. Alle lauerten auf die Pause, wo wir das Flugzeug wieder beobachten wollten: wenn es seine aufregend engen Wendekurven um den Kirchturm zog, um dann erneut die Felder anzusteuern. Vom Schulhof konnte man sogar den Piloten in der Kanzel erkennen. Er trug einen Rollkragenpullover und lachte zu uns herunter. Die Jungen waren außer sich vor Begeisterung.

»Ich konnte ja nicht wissen, daß sie den Baum so … liebt.« Fräulein Kugler schüttelte bedauernd den Kopf. »Mit keinem Wort wäre ich darauf eingegangen.«

»Erfahren hätte sie's sowieso«, sagte ich wegwerfend. »Von irgendwem.«

»Das schon, Alice, bloß ... kommt es immer
darauf an, auf welche Weise man etwas erfährt.
Und besonders, wenn's einem vielleicht bitter
nahegeht.« Sie seufzte und strich sich mit den
Fingerspitzen rasch über die Schläfen, wie sie
es manchmal im Unterricht tut. Ich fand Fräulein Kuglers Anteilnahme überflüssig. Mir war
auch unangenehm, daß sie mich plötzlich mit

bei ihr ungewohnter Herzlichkeit fragte: »Aber ... du hilfst Gundula doch, ja?«

»Wenn sie sich was sagen lassen würde. Sie hackt auf jeden los, der anderer Meinung ist. Schöne Freundin!«

»Es tut ihr eben weh, Alice. Was meint denn ihre Mutter?«

»Weiß nicht, ob sie's weiß.«

»Ihr wird sie's wohl zuerst erzählt haben, wem sonst. Aber am Ende muß sie natürlich allein damit fertig werden, die Gundula. Das ist immer das Schlimmste bei solchen Sachen ...« Wiederum seufzte Fräulein Kugler. Zugleich erschien auf ihrem kühlen schmalen Gesicht der Anflug eines wehmütigen Lächelns. »Als Kind hatte ich einen Hund. Molli. Und der wurde schließlich totgefahren. Drei Tage lang hab ich geheult. Ich wollte nicht einmal zulassen, daß sie ihn begruben ... Aber nach einer Woche war es schon vergessen. Fast.«

»Ein Hund ist wenigstens was Lebendiges.«

»Das bleibt sich gleich. Warum man etwas liebt, ist oft schwer zu sagen. Sehr schwer. Auch wenn du's ganz genau weißt. Man bringt es einfach nicht heraus.«

VIII

Am nächsten Morgen sah ich Gunna in der Schule wieder. Wir sprachen nun überhaupt nicht mehr miteinander. Zwar verhielt sich Gunna ziemlich ruhig und gefaßt, doch wirkte sie dadurch womöglich noch verschlossener als zuvor. Da sie jedes Zeichen der Annäherung unterließ, hatte ich erst recht keine Lust, einzulenken. Wenn es ihr wenigstens noch um einen wirklichen Verlust gegangen wäre, um ein verdorbenes Kleid meinetwegen oder um eine weggekommene Uhr. Das hätte ich verstehen können. Sie aber wegen dieses dummen Baumes zu trösten fiel mir nicht im Traum ein. Sollte Gunna nun sehen, wie sie mit ihren Hirngespinsten fertig wurde!

Dennoch blieb ich unruhig und mißgelaunt. Mir fiel auf, daß Fräulein Kugler Gunna und mich überging und daß sie uns nur manchmal mit einem halb ungewissen, halb bedauernden Blick streifte. Auch die Jungen hielten sich zurück. Quitti sinnierte, was sich in gelegentlichem stummem Händefuchteln kundtat. Bolle grinste unsicher und unterließ sein sonst übliches Geflachse. Und der große Simoneit schwieg, als ich in der Pause mehrmals am Fahrradständer vorüberstrich. Es war dasselbe abweisende und verurteilende Schweigen wie gestern nachmittag, als ich Gunna mit meinem Vogelzeigen für verrückt erklärt hatte. Bei jedem anderen wäre es mir egal gewesen. Bei Simoneit schmerzte es mich. Dabei konnte ich noch verstehen, weshalb Simoneit über Bolles freches Scheidungsgetratsche auf der Werft so ungehalten gewesen war. Simoneit mochte nun einmal nicht, wenn einer ungehörig über die Erwachsenen redete, zumal über Fremde. Er hatte keine Eltern mehr. Sie waren bei einem Zugunglück umgekommen. Seither wohnte er bei seinen Großeltern in der Schmiede. Daß aber Simoneit nun offenbar auch mir Vorwürfe machte, erbitterte mich und war noch kränkender als Gunnas Starrsinn. Ich fand es ungerecht. Und Gunna, die mit ihrem kindischen Geplärr um den Baum das Durcheinander angerichtet hatte, hätte ich am liebsten verprügelt. Ich wurde eifersüchtig, weil Simoneit sie ernster nahm als mich.

Den ganzen Nachmittag über drückte ich mich zu Hause herum. Meine Hoffnung, daß die Jungen vielleicht doch auftauchen und mich zum Badenfahren herauspfeifen würden, erfüllte sich nicht. Nebenan im Gemeindebüro herrschte die übliche Geschäftigkeit: Telefonklingeln, Schreibmaschinengeklapper, Stühlerücken. Leute von der LPG kamen und redeten mit Vater über Ernteeinsatzpläne. Ich konnte hören, wie sie lachten oder über irgendwelche Verzögerungen schimpften. Gummistiefel schlurften über die Dielen. Später fuhr Vater in unserem klapprigen P 70 fort. Nachdem

auch die Sekretärin gegangen war, trat Stille ein.

Ich wußte nichts mit mir anzufangen und fand alles so langweilig wie die kahlen Betonmasten für die neue Straßenbeleuchtung, die draußen vorm Hause abgeladen worden waren. Zugleich reizte mich eine hartnäckige leise Spannung, die ich nur nicht eingestehen wollte. Mir wäre sogar recht gewesen, Mutter in der Küche helfen zu müssen, was ich sonst geradezu haßte. Doch sie rief mich nicht.

Nach dem Abendbrot klingelte das Telefon erneut. Weil Vater noch immer unterwegs war, ging ich an den Apparat. Jemand von einem Baukombinat entschuldigte sich höflich für die späte Störung und bat mich, Vater etwas auszurichten. Daß man nämlich am Montag an der Kreuzung anfangen wolle. Und daß der Baum aber schon am Sonnabend gefällt werden müsse, damit es beim Baubeginn keinen Aufenthalt gebe.

Bald darauf kam Vater zurück. Er begann sogleich nach irgendeinem Aktenstück zu suchen. Augenscheinlich wollte er wiederum weg. Ich richtete ihm aus, was mir der Mann vom Baukombinat aufgetragen hatte. Vater nahm es ohne sonderliches Interesse zur Kenntnis. Doch dann, nachdem er den gesuchten Hefter unter Stößen von anderen Listen und Tabellen hervorgekramt hatte, hielt er inne und erwog fürsorglich: »Es wär ganz gut, wenn bei den Priebes Sonnabend jemand zu Hause ist. Man muß die Fenster offenhalten für den Fall, daß ein Ast hineinschlägt. Sie werden den Baum ja nicht auf einen Hieb fällen können wie im Wald, sondern Stück für Stück. Die Krone zuerst … Vielleicht läufst du mal rüber und sagst Bescheid.«

Vorhin beim Telefonieren hatte ich noch dumpfe Befriedigung darüber empfunden, daß die Angelegenheit, von der soviel geheime Aufregung ausgegangen war, am Sonnabend ihr Ende finden würde. Mochte es Gunna nun passen oder nicht. Jetzt hingegen kroch mir leise Kühle ans Herz.

»Was ist los, Alice?« fragte Vater gutmütig und legte mir mit einem halben Lächeln die Hand in den Nacken. Er sah müde aus. Die Augen waren verschattet. Mir kam auch vor, als hätten sich die feinen Fältchen an den Schläfen verdoppelt. Über die Stirn lief noch ein dünner Druckstreifen des Mützenleders. Verlegen starrte ich auf Vaters staubige Wetterjacke. Ich fühlte mich durcheinander. Trotz eines plötzlichen Verlangens, mich mit ihm zu unterhalten, wurde mir nicht klar, was ich ihm hätte sagen sollen. Zudem war er in Eile. Vater hatte zuviel zu tun. Er hatte immer zuviel zu tun.

»Warum sieht man deine Freundin so selten?«

»Sie ist nicht auf dem Posten.«

»Etwas Ernstes?«

»Ach wo, eigentlich bloß Spinnerei.«

Vater gab mir einen kleinen Schubs in Richtung Tür. »Na, lauf schon und sag Bescheid. Sonst kommst du überhaupt nicht mehr ins Bett.«

IX

Draußen herrschte bereits tiefe Dämmerung. Von Westen her schleppte schweres Gewölk heran und schien die Spitze des Kirchturms zu streifen. Es ging aber kein Wind. Wahrscheinlich würde es in der Nacht regnen. Oder morgen. Die Vögel waren verstummt. Durch die Schwüle kurvten Fledermäuse. Sie flogen schattenhaft und sehr schnell, und sie mieden mit jähen Wendungen den Lichtschein, der aus den Häusern auf die Straße fiel. Mir waren sie unheimlich.

Hastig überquerte ich den Fahrdamm, schlug einen Bogen um die Fuhrwerkswaage und rannte auf dem Dorfanger weiter. Ich wollte nur Vaters Empfehlung bei Priebes ausrichten und gleich wieder verschwinden, ohne mich auf neue Streitereien mit Gunna einzulassen. Doch dann geschah etwas Merkwürdiges: Je näher ich der Kreuzung kam, desto langsamer wurden meine Schritte.

Da war der Baum.

Wie ein gewaltiger dunkler Wächter stand er vor dem gelben Haus. Ein Turm aus Ästen und Blättern. Noch konnte ich seine Umrisse gut erkennen. Und auch, wenn ich ganz nach oben blickte, den runden Saum seiner Krone unter den schweren Wolken. Aber nach und nach wuchs in der Dämmerung alles zu nächtlicher Schwärze zusammen. Ich blieb stehen. Ich hatte das Gefühl, als sähe ich den Baum zum ersten Mal.

Ich horchte auf ein Rauschen seiner Blätter und nahm nur tiefes und feierliches Schweigen wahr. Kein Zweig rührte sich. Unvermittelt verspürte ich den vollen süßen Duft der Tausende und aber Tausende von Blüten, der tagsüber die Bienen anzog. Unerwartete Bangigkeit erfüllte mich.

Während ich weiterging, wurde der Gedanke an Sonnabend bedrückend. Mich begann eine Vorstellung zu quälen: wie sie kommen und den Baum abreißen würden, Ast für Ast, von

oben zuerst. Mit vorsichtiger, unerbittlicher Bedächtigkeit. So werden Ruinen abgerissen.

Als ich die Kreuzung erreichte, fuhr gerade Vater im Wagen vorbei. Beim Einschwenken in den schmalen Straßenschlauch streiften die Scheinwerfer des P 70 für einen Augenblick den massigen Stamm der Linde. Vater erkannte mich und winkte kurz aus dem offenen Fenster. Ich rief ihm etwas zu, aufschreckend und rasch, wie man sich jäh an Versäumtes erinnert. Nur ein hervorgestoßener Laut. Aber da war Vater schon vorbei, und die roten Rücklichter des Wagens schwebten auf der langen Chaussee nach Brederow davon.

Am Hoftor von Priebes wurde mir klar, daß ich mich fürchtete.

Ich traute mich nicht hinein. Obwohl ich immer noch nicht wußte, weshalb Gunna den Baum so verzweifelt liebte, hatte ich doch Angst, ihr mit meiner Nachricht neuen Schmerz zuzufügen. Ich selber hatte doch gar nichts gegen die Linde, die da hinter mir in der Dunkelheit aufragte, mächtig, schweigend, schwimmend in Wogen süßen Dufts. Und wenngleich ich den Baum sonst kaum beachtet hatte, fand ich ihn nun sogar schön. Dieses halbe Verständnis für Gunnas Sorgen machte mich unschlüssig und hilflos.

51

Als oben im Zimmerchen Licht anging und Gunna und ihre Mutter noch halblaut einige Besorgungen für morgen früh besprachen, wenn Frau Priebe wieder aufs Stellwerk mußte, lief ich davon.

Eine Weile streunte ich im Dorf herum. Von Brederow kam der Spätbus angebrummt. Er zwängte sich durch die schiefe Straßenenge beim Baum, hielt kurz am Wartehäuschen, fuhr nach Espau davon. Vor der Schmiede lagen ein paar Männer mit einer grellen Handlampe unter einem Hänger und reparierten etwas. Simoneit war nicht dabei. Enttäuscht ging ich weiter. Doch dann stolperte ich am Konsum fast über einige unordentlich abgestellte Fahrräder. Quittis großmächtig ausgespreizter Rückspiegel fiel mir auf. Im Laden wirtschafteten noch Bolles Schwestern und seine Mutter. Sie schimpften auf ihn. Vorgestern habe die ganze Wohnung nach Teer und Benzin gerochen. Heute wieder läge das Schulzeug von Bolle wie Kraut und Rüben umher. Sobald man ihn zu fassen kriegte, sollte er ein Donnerwetter erleben. Demnach befand sich Bolle nicht im Haus.

Verstohlen suchte ich den dunklen Hof ab, wo sich Berge von leeren Kisten und Kartons türmten. Schließlich vernahm ich ganz hinten leises Sprechen. Dort stand ein alter gemütlicher Holzschuppen aus Schalbrettern, in den wir uns schon oft bei schlechtem Wetter geflüchtet hatten. Harzgeruch schlug mir entgegen. Bolle sagte gerade in überdrüssigem Ton: »Von mir aus könnt ihr ja die ganze Nacht hier glucken und rätselraten, weshalb sie sich so gespenstrig hat wegen dem ollen Baum. Bloß … was soll's? Ist ja auch nicht unsere Sache. Weiß denn überhaupt einer, wozu so'n Baum eigentlich dasein soll? Völlig überflüssig. Keine Äppel und kein Bauholz. Könnt euch höchstens runterstellen, wenn's regnet.«

»Auch was wert …«, erwog Simoneit langsam. Und ich begann mich zu freuen, daß er da war und die anderen und daß sie dasaßen, als ob sie bloß auf mich gewartet hätten. In der gleichen Angelegenheit.

Simoneit fuhr fort: »… oder nicht? Bevor du bis auf die Knochen durchweichst. Außerdem finde ich schon, daß es unsere Sache auch ist. Gunna muß doch einen Grund haben, wenn sie sich so um den Baum quält. Vielleicht, weil da was passiert ist. Oder vielleicht bloß, weil sie es so mag, daß immer Vögel drin sind … Aber du redest drüber, als ob's die reine Affigkeit wäre. Wie Alice. Die denkt immer nur an sich …«

In einer Anwandlung von Bitterkeit verharrte
ich vor der Bretterwand und gab mich nicht zu
erkennen. Wie kam Simoneit dazu, so etwas zu
behaupten? Hatte ich mich nicht um Gunna

bemüht? Hatte ich ihr nicht zuzureden versucht? Schlug ich mir ihretwegen nicht wieder den Abend um die Ohren? Die Jungen schwiegen vorübergehend. Holzscheite schurrten trocken, wenn sich einer bewegte. Dann meinte Quitti dünn und stockend: »Man ... müßte wirklich die ... Erinnerung in Betracht ziehen.«

»An was?« fragte Bolle.

»Also, wenn man so erwägt, daß aus solch alten Bäumen die ersten Menschen gemacht worden sein sollen, sagt die Sage. Und daß grad die Linde früher als heiliger Baum galt und die Familie schützte. Bei den Germanen und auch bei den Wenden. Sogar Götter haben sie der Linde zugeordnet. Sie war der Baum des Friedens. Hab ich jedenfalls gelesen.«

»Na, so was kann's wohl nicht sein ...«, murmelte Simoneit zweifelnd.

Und Bolle spottete grimmig: »Von wegen ... Friedenslinde. Bei Kriegsende solln sie ein' an dem Baum aufgehängt haben! Flüchtling.«

»Erschossen«, berichtigte Simoneit.

»Ist ja überhaupt nicht wahr!« entgegnete Quitti. Seine Stimme zitterte, weil er widersprechen mußte. »Sie feuerten hinter ihm her, damals, aber der Baum hat die Kugeln abgefangen! Bei genauer Inaugenscheinnahme könnt ihr die Einschläge heute noch finden. Sind bloß zugewachsen.«

»Irgendwie ... doll!« anerkannte Bolle widerstrebend. »Wenn der Baum sich so alles hätte merken könn', was da mal passiert ist.«

Dankbar bestätigte Quitti: »Früher hielten sie unter der Linde Gericht.«

»Und bei uns steht am Ersten Mai die Tribüne immer neben dem Baum vor Priebes Haus. Die Girlanden ...«

In plötzlicher Begeisterung unterbrach Bolle Simoneit.

»Wißt ihr noch, wie wir zum erstenmal 'n Sputnik gesehen haben, Leute?! Der segelte am Himmel gradweg über die Linde hin. Sah aus wie 'ne winzige goldene Erbse.«

»Ohne den Baum wäre er unserer Aufmerksamkeit vielleicht entgangen«, formulierte Quitti angestrengt. Wahrscheinlich mußte er auch im Dunkeln mit den Händen rudern. »Das ist nun mal der markanteste Punkt im Dorf. Der Reisende vermag die Krone schon aus der Ferne zu erkennen, eine grüne Mütze über den Dächern. Ein Wahrzeichen.«

Bolle fiel wieder in seine übliche Kichrigkeit zurück. »Reisende, Mensch! Und ... Wahrzeichen! Du bist mir vielleicht 'n Postkutschenbläser. Da baun sie dir doch heutzutage ganz andere Dinger hin für Tele und Vision. Bißchen höher …«

Erneut schwiegen sie.

Endlich meinte Simoneit mit einem Anklang von Bewunderung: »Stimmt ja alles, genau. Nur … solchen Baum kann man nicht kaufen oder lustig hochbetonieren wie 'ne Fernsehnadel. Er muß dreihundert Jahre wachsen.«

»Vierhundert mindestens«, flüsterte Quitti.

»Gut, auch vierhundert.« Simoneit räusperte sich kurz. Ich konnte hören, wie er von den lockeren Scheiten aufstand. »Jedenfalls versteh ich eins nicht …, warum sie da an der Kreuzung keinen Kreisverkehr machen. Einfach 'nen Kreisverkehr! Wär doch am vernünftigsten. Und der Baum könnte bleiben.«

Den Geräuschen nach mußten die Jungen gleich aus dem Schuppen kommen. Ich tastete mich durch das Labyrinth der Konsumkisten zurück. Kurz vor der Toreinfahrt prallte ich mit jemand zusammen und wurde sogleich festgehalten. Eine von Bolles Schwestern schrie: »Haben wir dich endlich, Bürschchen! In der Dunkelheit herumtreiben und Erdbeeren klauen, das wär's wohl! Dir werden wir …«

Ich schlug um mich und stürzte hinaus auf die Straße. Im Fortrennen hörte ich noch, wie hinten auf dem Grundstück Kisten polterten. Offenbar verschwanden Bolle und die anderen über den rückwärtigen Zaun.

Als ich atemlos nach Hause lief, wußte ich nicht, worüber ich mich am meisten ärgern sollte. Über meinen schmerzenden Arm oder über Simoneits verletzendes Urteil. Oder darüber, daß mir all diese Baumgeschichten längst bekannt gewesen und trotzdem nie besonders wichtig vorgekommen waren.

X

Am Freitagmorgen regnete es. Feine Schauer sprühten gegen die Fensterscheiben. Im Klassenzimmer herrschte nur halbe Helligkeit, wie im Herbst. Alle Schwüle der letzten Tage war verweht. Vom Luch drang bisweilen Donnergrollen heran. Doch blieb das Gewitter immer in Entfernung und rückte nicht weit genug vor, um richtig über dem Dorfe loszubrechen.

Wenn ich die Jungen ansah, mußte ich an den Baum denken. Gunna schwieg.

In der dritten Stunde wurden die letzten Mathearbeiten zurückgegeben. Gunna hatte eine Fünf. Das war noch nie geschehen und erregte allgemeines Aufsehen. Fräulein Kugler machte ihr keine Vorwürfe. Auch diesmal beließ sie es bei einem bedauernden, sorgenvollen Kopfschütteln. Gunna setzte sich mit ihrem Heft. Doch im Unterschied zu den anderen, die sogleich die angemerkten Fehler zu überprüfen anfingen, öffnete sie es gar nicht mehr. Wieder sah ich sie ins Leere starren. Wieder lief plötzlich ein feines Zittern um ihre Mundwinkel.

In der großen Pause verschwand Gunna. Während der beiden noch folgenden Stunden fehlte sie. Wohin sie gegangen war, wußte niemand. Der leere Platz neben mir beunruhigte mich.

Nach Unterrichtsschluß wurde ich von Fräulein Kugler auf dem Flur abgefangen und über Gunnas Verschwinden ausgefragt. Da ich wenig zu sagen hatte, entschied Fräulein Kugler bestimmt: »Du gehst jetzt zu Gundula und richtest ihr aus, daß sie mich am Nachmittag besuchen soll. Nicht hier in der Schule, hörst du. Zu Hause. Das sieht nicht so amtlich aus. Vielleicht ist Gundula wirklich nur wegen der Fünf weggerannt. Wenn's anders ist, dann haben wir diese Sache mit dem Baum einfach nicht ernst genug genommen.«

Die letzten Schüler kamen vorbei und liefen über die Treppe nach unten. Ich begleitete Fräulein Kugler bis zur Tür des Lehrerzimmers. Sie schärfte mir ein, keine beunruhigenden Sachen zu erzählen, falls ich Gunna auch bei ihrer Mutter auf dem Stellwerk suchen müßte. Mit Frau Priebe würde ohnehin noch gesondert zu sprechen sein. Später.

Als ich schon gehen wollte, hielt mich Fräulein Kugler nochmals zurück. »Hättest du nicht gelegentlich mit deinem Vater reden können, Alice? Ob der Baum am Ende doch bleiben darf ...?«

»Hab ich ja.«

»Was sagte er?«

»Daß da nichts zu machen ist.«

»Beim besten Willen nicht?«

»Nein.«

Ich wußte selber nicht, warum ich log. Wahrscheinlich, weil ich nicht wagte, ein Versäumnis zuzugeben. Es ging auch alles zu schnell. Bevor ich noch richtig darüber nachdenken konnte, hatte ich Fräulein Kuglers rasche Fragen schon beantwortet. Ich mochte wohl auch nicht wahrhaben wollen, daß Vater und die von der Gemeinde etwas Falsches beschlossen haben könnten. Erst auf der Treppe schämte ich mich meiner Lügerei.

Denn unten im Hofeingang stand der große Simoneit. Augenscheinlich war ihm kein Wort entgangen. Jetzt sagte er enttäuscht: »Ich hatte mir auch schon überlegt, daß wir alle zusammen auf die Gemeinde gehen und nachfragen müßten. Manchmal haben sie bei solchem Beschluß nicht alles bedacht. Aber wenn du schon deshalb bei ihm gewesen bist, Alice ...«

Traurig wandte sich Simoneit ab. Mir brannte das Gesicht, weil er wirklich glaubte, daß ich mich bei Vater für Gunna und den Baum verwendet hätte. Und weil ich ja eigentlich wiederum log, indem ich ihn in diesem Irrtum ließ. Und weil ich mich selbst aus all dieser Verwirrung nicht zu befreien verstand.

Die andern warteten vor der Schule. Es regnete noch immer. Quitti sah aufgeregt aus und signalisierte schon von weitem stumme Alarmzeichen. Als dann Bolle mürrisch mit dem Daumen über die Schulter wies, erkannten wir, daß sich Gunna nicht wegen der Mathe-Fünf entfernt hatte.

Die Bauwagen waren angekommen. Sie standen seitlich der Kreuzung, unweit von Priebes gelbem Haus – hübsche, kleine, saubere Buden auf Autorädern. Hinter ihnen parkte ein LKW. Arbeiter luden gerade Schaufeln, Hakken, Fluchtstangen und rotweiß gestreifte Sperrböcke ab. Ihre grauen Gummijacken glänzten vor Nässe. Ein Stück weiter hatte man einen dicken schwarzen Teerkessel postiert.

Von Gunna keine Spur.

Da ich sie auch in der Wohnung nicht finden konnte, brachten wir fürs erste unsere hinderlichen Schulsachen nach Hause. Dann verteilte uns Simoneit. Nach und nach streiften wir alle Plätze ab, an denen sich Gunna bei diesem Wetter aufhalten konnte. Die alten Scheunen an der Brederower Chausee, die runde Laube im Garten hinter dem Gemeindebüro. Alle möglichen geheimen Schuppen und Winkel, die wir uns im Laufe der Jahre erobert hatten und in denen wir jedes Brett kannten.

Bolle wurde die Fahndung langweilig. Er maulte, wenn wir zwischendurch zusammentrafen, fügte sich aber Simoneits Kommando. Quitti dagegen lief bereitwillig überallhin.

Nur einmal verharrte er grübelnd, um endlich unter Händegefuchtel hervorzubringen: »Kann doch gar nicht … alles sein, bei Gunna!«

»Was … nicht alles?« Simoneit hob erstaunt die dicken Brauen.

»Das mit dem Baum. Da muß noch etwas anderes mitspielen, wovor sie sich in Wirklichkeit fürchtet, und der Baum … der …«

Vor lauter bohrendem Gedankeneifer geriet Quitti ins Stottern. Seine Stimme wurde immer dünner. Unversehens schloß er mit überraschender Klarheit: »Der Baum läßt sie andauernd daran denken. Wie ein … Symbol.«

»Erst Wahrzeichen und jetzt Symbol!« spottete Bolle überdrüssig. »Eine Meise hast du.«

Der große Simoneit bedachte ungewiß: »Wenn es ein Symbol sein soll, müßte sie dann nicht froh sein, daß der Baum endlich wegkommt?«

Wir setzten die Suche fort. Alles Ausspähen blieb vergebens. Auch oben auf dem Stellwerk, wo rote Lämpchen glommen und sich numerierte Hebel reckten und von wo man auf Gleise und Felder hinunterblicken konnte, war Gunna nicht. Freundlich meinte ihre Mutter, daß sie gewiß nur etwas besorgen gegangen sei und ich derweilen ruhig im Hause warten dürfe. Ich wüßte dort ja Bescheid. Danach erkundigte sie sich lächelnd, ob wir uns in der letzten Zeit gezankt hätten und ob es nun wieder gut sei. Mit Mühe tat ich unbefangen.

Draußen fiel mir Quittis Mutmaßung ein. Vielleicht war Gunnas Angst um den Baum tatsächlich auf noch etwas anderes zurückzuführen. Auf etwas sehr Persönliches und ganz Verborgenes und verzweifelt Geheimes, das wir nicht kannten. Aber was konnte so vertraulich sein, daß sie nicht einmal mit ihrer Mutter darüber zu sprechen vermochte? Schließlich war mir Frau Priebe nicht beunruhigt vorgekommen, oben auf dem Stellwerk. Überhaupt nicht. Sicherlich hatte sie keine Ahnung von Gunnas Sorgen.

Die anderen erwarteten mich an der Kreuzung. Der Regen war stärker geworden. Wir mußten uns unter den Baum flüchten. Jetzt wußte keiner weiter. Am Stamm lehnend, hörten wir aus der Laubhöhle über uns gleichmäßiges Rauschen und spürten die Süße des Blütendufts, den die Feuchtigkeit herunterdrängte und noch voller machte, und starrten auf die Ansammlung der Baufahrzeuge wie auf eine feindliche Festung.

Plötzlich schreckte uns Bolle auf: »Da ...!!«

Einer der Arbeiter schleppte soeben ein merkwürdiges Gerät von dem einen Budenwagen

zum anderen. Ich kannte es nicht. Es bestand offenbar aus einem Motor und verjüngte sich zu einem flachen, kellenartigen und von scharfen Zacken gesäumten Metallbrett.

»Was?« fragte Quitti.

Simoneit sagte dumpf: »Die Säge.«

Erschrocken preßte Quitti den Handrücken gegen die Lippen. Gleich darauf erklärte Bolle ärgerlich: »Ich werd euch mal stecken, daß wir ganz schön blöd gewesen sind, Gunna hier im Dorf zu suchen! Die wird nämlich 'n bißchen weiter weggelaufen sein, garantiert. Und weshalb? Weil sie nicht dabeisein will, wenn der Baum umkippt!«

XI

Gegen Abend fanden wir Gunna. Wo die struppigen Luchwiesen an den Wald stoßen, steht eine große Futterraufe von der Forst. Wir hatten im Winter mehrmals Kastanien und Bucheckern fürs Wild hingebracht. Hier saß Gunna im Schutze des dichten Strohdachs. Über den Wiesen schrien mißtönend Kiebitze.

Wider Erwarten machte Gunna bei unserem Auftauchen keinen Versuch, erneut auszurükken. Ich hatte wieder mit Tränen gerechnet. Sie kamen nicht. Nur sehr blaß sah Gunna aus, und müde. Niemand sagte etwas. Erst als wir uns nach einer Weile betretenen Herumstehens zu ihr auf das verwitterte vorjährige Heu setzten, fragte sie still: »Ist es schon … geschehen?«

»Heute machen sie nichts, Gunna. Gar nicht dran zu denken bei dem Regen«, erwiderte Simoneit. »Außerdem müssen die Leute erst mal ihr ganzes Zeug auspacken und richtig zurechtlegen. Auf so einer Baustelle muß Ordnung herrschen, da kann keiner machen, was er will. Wirst du bestimmt von deinem Vater wissen, der kennt sich doch darin aus … Also haben sie heute mit den Vorbereitungen genug zu tun. Und morgen? Morgen ist Sonnabend. Arbeitsfrei. Am Sonntag genauso.«

Simoneit redete langsam und fast gleichmütig. Er stellte keine Fragen. Er äußerte keine Verwunderung. Nach und nach wurde mir klar, daß er die Vorgänge an der Kreuzung als ganz alltäglich erscheinen lassen und Gunna auf diese Weise trösten wollte.

Ich wagte nicht, ihn zu unterbrechen. Ich hätte ihn unterbrechen müssen, weil ich mehr wußte. Sonnabend. Die Säge.

Der Regen troff in feinen Schnüren von der

Kante des Schilfdachs. Die Kiebitze kreisten in ungeschickten Bögen durch den Nässedunst über den Wiesen. Ich fand es merkwürdig, daß die Vögel bei diesem Wetter flogen. Vielleicht wollten sie den Regen von ihren Nestern vertreiben. Vielleicht froren sie. Mich kroch auch Kühle an. Schon bei der Lauferei am Nachmittag hatte ich mir nasse Füße geholt. Mit einemmal vergaß ich alles.

»Am meisten mochte Papa den Baum, und deshalb ...«, begann Gunna zögernd. »Jedesmal, wenn er wieder für ein paar Wochen auf Montage fortfahren mußte, so wie jetzt, hat er sich auch von ihm verabschiedet. Bevor Papa zum Bus hinüberging, ist er immer noch mal vorm Haus stehengeblieben, um nach oben in die Zweige zu blicken. Ziemlich lange. Eine halbe Minute oder mehr. Irgendwie nachdenklich und ernst, aber nicht traurig. Mir kam es meist ein bißchen komisch vor. Ich wußte nicht, warum er's tat. Oder ob es vielleicht nur so aus alter Gewohnheit geschah ... Mir war eher bange, daß er am Ende noch seinen Bus verpassen und Ärger bekommen könnte ... Aber jedesmal, wenn Papa wieder zurückkehrte, hat er auch dem Baum guten Tag gesagt. Also ..., *gesagt* hat er's nicht, nicht richtig. Bloß gestreift hat er ihn, mit einer Hand, im Vorbeigehen,

wenn er mit seinem Koffer vom Anger her-
überkam. Das fand ich schön. Es war so, als ob
er einen guten Kumpel begrüßte, der auch da-
zugehört und von dem er ganz sicher wußte,
daß er dasein würde. Der auch dazu gehört …«

Quitti seufzte mitleidig. Wir anderen saßen
völlig still nebeneinander und starrten gerade-
aus auf die Wiesen mit ihren Kolken und La-
ken. Ich empfand Beklommenheit, weil Gunna
von ihrem Vater und dem Baum wie von etwas
Vergangenem erzählte. Und weil ihre Stimme
Erschöpfung verriet. So redet wohl jemand,
der einen langen Lauf hinter sich hat und nun
zugeben muß, daß er nicht mehr weiterkann.
Alleine nicht. Trotzdem konnte ich mir noch
keinen Reim auf Gunnas Geschichte machen.

»Letztes Jahr wollten sie auseinander, Papa
und Mama …«

Wiederum stockte Gunna. Bolle hatte über-
rascht den Borstenkopf gehoben. Er bezwang
sich aber und sagte nichts.

Sehr leise erzählte Gunna weiter.

»Sie verstanden sich nicht mehr. Mama mißfiel,
daß er so oft unterwegs war, manchmal mona-
telang, weit weg …, bis zum Eismeer. Und daß
sie selber dauernd zu Hause sitzen mußte und

ein Tag wie der andere blieb. Abwaschen, plätten, Hühner füttern. Das sagte sie ihm. Und Papa erbitterte, daß sie ihn mit solchen Sachen empfing, obwohl er müde war und abgespannt und obwohl er sich aufs Zuhause gefreut hatte. Ich weiß nicht, wen die meiste Schuld traf, damals. Ich weiß nur, daß es immer schlimmer wurde. Mama weinte oft. Papa lief gereizt umher ... Mir sagten sie ja nichts. Ich hörte alles immer nur von nebenan. Oder von oben, wenn ich wach lag, halb verrückt vor Angst. Ich hörte, wie Mama ihn anschrie, daß sie früher glücklicher gewesen sei, als sie noch ihr eigenes Leben führen konnte und noch bei der Bahn gearbeitet hatte ... Als Papa schließlich wieder wegfuhr, schien alles kaputt zu sein. Ich ... ich ...«

»Na, wer sagt's denn«, murmelte Bolle rauh, »konnten uns schon so was denken.«

Überstürzt fuhr Gunna fort: »Aber dann wurde alles noch schrecklicher. Papa schien gar nicht mehr nach Hause kommen zu wollen. Und keine Post. Je länger er wegblieb, desto verzweifelter wurde ich. Und je mehr ich mich grämte, desto inbrünstiger hoffte ich, daß alles noch einmal gut würde. Bei Mama war's ebenso, nur sagte sie nichts. Und ständig war der Baum zugegen. Er stand immer da, Tag und Nacht, als gehöre er wirklich zur Familie und als warte er gleichfalls … Wenn ich nachts am Fenster auf den letzten Bus aus Brederow lauschte, stand der Baum da … freundlich, still, wie ein Kamerad. Manchmal, wenn's noch später war und sie annahm, daß ich schon schliefe, wartete auch Mama unten im Schatten des Baums. Sie dachte dann, daß Papa vielleicht noch zu Fuß von Brederow käme. Und der Baum war immer da. Und war da und rauschte im Wind oder raunte nur. Oder blieb ohne alle Regung. Er konnte nichts tun, wie ein Mensch etwas tun kann. Trotzdem …«

Der Regen hatte aufgehört. Das Gewölk teilte sich. Das warme abendliche Licht ließ die grauen Dunstschwaden über den Wiesen glänzen und streute blitzenden Staub auf Binsenbüschel und Kaupen.

»Als Papa endlich doch zurückkam, haben sie sich versöhnt, Mama und er. Sie haben alles besprochen, was sie anders und besser machen wollten. Dabei sagte Papa einmal, daß er auch wegen des … Baumes heimgekehrt sei. So fest wie der im Boden verwurzelt ist, müsse man auch mit seinem Zuhause verwachsen bleiben. Und dürfe nicht gleich aufgeben, wenn mal Stürme und Schwierigkeiten sind. Das ungefähr sagte er. Aber schöner noch, nicht so dumm wie ich. Ich konnt's nur von nebenan hören ... Immer, wenn Papa an uns dachte, fiel ihm auch der Baum ein. Und immer, wenn er sich auf seinen Baustellen des Baumes entsann, gingen seine Gedanken schon weiter zu uns.«

Behutsam fragte Simoneit nach einer Weile: »Du hast Angst, daß alles ... noch mal geschehen könnte?«

Gunnas Stimme schwankte. »Ich ... Dauernd muß ich dran denken, daß Papa nach Hause kommt, und der Baum ist ... verschwunden. Daß er ankommt und sich freut und plötzlich nur noch den leeren Platz sieht ...«

»Aber das von damals ist doch alles vorbei. Wieder richtig gut geworden, nicht wahr?« redete ihr Simoneit inständig zu. »Du brauchst bestimmt keine Angst mehr zu haben. Diese ... Erinnerungen mußt du loswerden!«

»Ja.«

Quitti äußerte sanft: »Objektiv hat der Baum ja gar nichts damit zu tun. Objektiv nichts. Es ist alles mehr eine psychische ... Gefühlssache. So was kann man überwinden.«

»Ja.«

»Na also ..., gibst es schon selber zu!« Bolle versetzte Gunna einen kleinen herzlichen Buff. »Wär doch 'n glatter Aberglaube, wenn

sich olle Gunna damit noch länger den Kopf
vermöbeln würde. Leute! Braucht ja auch keiner weiter zu erfahren, die ganze Angelegenheit. Keiner weiter außer uns …«

»Ja«, bestätigte Gunna zum drittenmal. Es
klang einsichtig. Danach erkannten wir, daß sie
einfach nicht mehr zu sagen imstande war.
Gunna wollte tapfer sein. Doch in ihrem blas-
sen Gesicht arbeitete es noch immer.

Auf dem Heimweg blieben Simoneit und ich ein paar Schritte hinter den anderen zurück. Es geschah ohne Absicht. In den aufgeweichten Fahrschneisen konnten nicht alle nebeneinander gehen. Nur Quitti hielt sich beständig neben Gunna. Er hatte ihre Hand genommen und entließ sie während der ganzen Strecke nicht aus der seinen. Bolle, der sonst unbedingt über diese Fürsorglichkeit gelästert hätte, spottete nicht. Vielmehr rückte er sofort wieder an Gunnas andere Seite, wenn ihn die Pfützen ein Stück weit von den anderen beiden getrennt hatten. So geleiteten sie Gunna. Ich mußte immer wieder auf die Hände dort blicken.

Kurz vor dem Dorf meinte Simoneit halblaut: »Bis Montag wird sie sich bestimmt damit abgefunden haben. Jetzt, wo alles heraus ist und sie nicht mehr alleine drüber grübeln muß ...«

Ich blieb stehen. Es war ja noch etwas zu sagen. Da sich Simoneit anscheinend selbst nicht ganz sicher war, hatte er auf eine Bestätigung gehofft. Ich wich seinem Blick aus. Ich wußte, daß er gleich erschrecken würde.

»Findest du doch auch?!«

»Vielleicht ...«, murmelte ich.

»Wenn man nur was anstellen könnte, daß sie's sich noch mal überlegen!« brach Simoneit grimmig aus. Seine Augen wurden dunkel vor Ratlosigkeit und Erbitterung. »Daß sie einem wenigstens sagen, warum es mit dem Kreisverkehr absolut nicht zu machen sein soll … Und wenn wir zusammen hingehn, Alice, trotz allem? Mehr als rausschmeißen …«

»Vater ist heute gar nicht im Büro«, sagte ich. »Sie haben Sitzung auf'm Bezirk. Da wird's immer spät.«

»Aber morgen …!« drängte mich Simoneit.

»Morgen wolln sie den Baum ja schon fällen.«

XII

In der Nacht hörte ich Vater mit dem Wagen zurückkommen. Ich hatte in unruhigem Halbschlaf gelegen und begriff nicht gleich, wodurch ich aufgestört worden war. Ich war noch benommen. Die Geräusche schienen aus weiter Ferne zu mir zu dringen. Das röchelnde Ersterben des altersschwachen Motors. Das dumpfe Schlagen der Tür. Schritte auf dem Flur. Stimmen. Aus der Küche leises Klirren von Tellern und Besteck. Ich weiß nicht, wie lange ich so dahindämmerte, aber schließlich wurde ich völlig wach. Vater und Mutter unterhielten sich noch nebenan im Büro. Seine Stimme klang unwillig. Mehrmals wurde sie auch laut, obwohl Mutter ihn zu beschwichtigen suchte. Allmählich bekam ich zusammen, was Vater aufbrachte.

Fräulein Kugler hatte am Nachmittag beim Bezirk angerufen und sich für den Baum verwendet. Ob sich denn da wirklich keine andere Lösung finden ließe, hatte sie gefragt. Ob es nicht etwas leichtfertig sei, so ein Naturdenkmal kurzerhand beseitigen zu wollen. Und ob der Beschluß nicht überprüft werden müsse.

Die vom Bezirk hatten Fräulein Kugler beschieden, daß das alles Sache unserer Gemeinde sei und höhererseits nicht eingegriffen werden dürfe. Danach hatten sie auf der Sitzung natürlich gleich Vater von dem Anruf erzählt und um eine Klärung gebeten.

»Als ob wir unsere Arbeit nur aus Spielerei machen!« schrie er jetzt nebenan und hieb sogar mit der Faust auf den Tisch. »Was fällt dieser Lehrerin ein, sich mir nichts, dir nichts zu beschweren? Sind wir denn dumme Jungen ...?«

»Gott, sei doch still, du weckst ja das Kind auf!« mahnte Mutter erschrocken. »Es wird nicht böse gemeint gewesen sein.«

»Auf einmal soll der Baum so wichtig sein wie

sonstwas …«, fuhr Vater in unterdrücktem Grimm fort. »Wem eigentlich liegt er plötzlich am Herzen, möcht ich mal wissen. Im Gemeinderat haben alle zugegeben, daß er gefällt werden muß. Morgen. Sogar den Priebes, bei denen er vor der Tür steht, habe ich durch Alice Bescheid sagen lassen. Und da geht das Fräulein Kugler in letzter Minute hin und macht einen Wirbel! Jetzt …, wo sich ohnehin nichts mehr ändern läßt und die Bauleute schon da sind! Was soll denn noch passieren? Als ob wir jemand hätten weh tun wollen.«

»Vielleicht ist in der Schule über den Baum gesprochen worden«, wandte Mutter ein.

»Kann ja sein. Aber warum ist sie dann nicht gleich zu mir gekommen?«

Ich preßte das Gesicht in die Kissen und wollte nichts mehr hören. Es war alles meine Schuld. Bestimmt wäre Fräulein Kugler zuerst zu Vater gegangen, wenn ich sie nicht beschwindelt und gesagt hätte, daß es keinen Zweck mehr habe. Und bestimmt hätte Vater auch mich angehört, ruhig angehört und darüber nachgedacht, wenn ich ihm schon vor acht Tagen einen Hinweis auf Gunnas Angst um den Baum gegeben hätte. Alles meine Schuld.

Wenig später trat Vater zu mir ins Zimmer. Er machte aber kein Licht. Vielleicht wollte er nur sehen, ob ich tatsächlich aufgewacht sei. Vielleicht wollte er auch etwas fragen. Da er mich schlafend wähnte, strich er mir ein paarmal sachte über die Wange und ging dann wieder hinaus. Im Hause wurde es ruhig.

Ich blieb regungslos liegen. Ich hatte den Eindruck, als hafte die leise gute Wärme von Vaters Berührung noch immer auf meinem Gesicht. Dann kamen mir die Tränen. Und mit einemmal erkannte ich, von Anfang an versagt zu haben.

Ich hatte Gunna allein gelassen. Weil ich ihre Sorgen nicht begriff, waren sie mir überflüssig vorgekommen. Und lächerlich. Und wo sich die anderen den Kopf darüber zerbrochen hatten, wie sie Gunna irgendwie helfen könnten, hatte ich mir in Groll und dummem Hochmut gefallen. Sogar zum Einfachsten war ich nicht fähig gewesen: so wie Quitti Gunnas Hand zu nehmen und geduldig bei ihr zu sein, still, hilfsbereit. Nichts hatte ich gemacht. Nur an mich gedacht, wie Simoneit sagte. Allein gelassen hatte ich Gunna. Ich war ihr keine Freundin gewesen.

Deshalb lag ich nun da und schluchzte jämmerlich in die Kissen. Gegen Mitternacht stand ich auf, weil mir das Zimmer eng und heiß vorkam. Verstohlen riegelte ich das Fenster auf.

Über Straße und Anger lag heller Mondschein.
Die Wolken waren fort. Wenn ich mich nur ein
wenig vorgebeugt haben würde, wäre rechtsab
an der Kreuzung der Baum in mein Gesichts-
feld gekommen. Ich wagte nicht, hinzu-
schauen. Jetzt war doch alles zu spät. Jetzt
konnte man nicht mehr zurück. Die Nachtluft
streifte mich kalt.

XIII

Sonnabend morgen wurden wir kurz nach acht
von Fräulein Kugler aus der Physikstunde geholt. Auch Gunna mußte mitkommen. Unsere
Klassenlehrerin schaute sehr ernst drein – wie
jemand, der gerade eine schlechte Nachricht
erhalten hat. Indes vermied sie jede Erklärung.
Das wunderte mich. Ich hatte erwartet, wegen
gestern ausgefragt zu werden. Die Jungen tu-
schelten miteinander.
Simoneit war heute im Blauhemd gekommen,
Gott weiß weswegen. Und Quittis Gefuchtel
fiel besonders auf. Seine rechte Hand stak in
einem weißen Mullverband.
Wortlos führte uns Fräulein Kugler zur Kreuzung. Zwischen Linde und Bauwagen hatte
sich ein Menschenauflauf gebildet. Vater stand

dort, finsteren Gesichts. Dann der ABV mit Koppelzeug und Meldetasche. Dann die Bauarbeiter in erregter Unterhaltung. Und außerdem eine ganze Menge Leute aus dem Dorf. Zwei Traktoristen ließen ihre Maschinen am Straßenrand im Leerlauf weiterböllern und kamen ebenfalls herüber. Irgend etwas mußte vorgefallen sein.

»Alle Mann zum Knochensammeln …!« raunte Bolle beklommen. Er versuchte zu grinsen. Es gelang ihm nicht. Gleich darauf bemerkte ich das eingeschlagene Fenster des einen Bauwagens. Im zertretenen Gras blinkten Scherben. Unheilverkündend empfing uns Vater.

»Jetzt kommen die Täter!«

»Das habe ich nicht gesagt«, berichtigte Fräulein Kugler.

»Ach was, Sie werden schon vorher davon gewußt haben!«

Fräulein Kugler hob gereizt das Kinn. Ihre Stimme wurde schärfer.

»Daß Sie sich über meinen Anruf beim Bezirk ärgern, ist Ihre Sache. Aber daß Sie mich hier der Anstiftung zu einer ungesetzlichen Handlung verdächtigen, möchte ich mir in aller Form verbitten! Ich habe vor einer halben Stunde, als Sie mich auf der Straße anhielten, lediglich eine Vermutung geäußert …, weil ich wußte, daß sich die Kinder um den Baum sorgen.«

»Himmel, verflucht und zugenäht!« schrie Vater, die Fäuste in die Seiten stemmend, »jemand muß die Gören doch auf diesen Trichter gebracht haben!«

»Fragen Sie sie selbst. Überhaupt finde ich, daß Sie den Bürgern mit Ihrem Fluchen ein schlechtes Beispiel geben.«

Währenddessen kamen noch mehr Neugierige hinzu. Bolles Mutter in einer nassen Waschküchenschürze. Auch Quittis Vater, klein und zierlich wie sein Sohn. Die Menge umschloß uns nun in einem dichten Halbkreis. Ich stand mit eingezogenem Kopf da, völlig verwirrt, und fürchtete nur, daß Vater und Fräulein Kugler gleich aufeinander losgehen würden.

Da sagte der ABV besonnen: »Heute nacht wurde aus diesem Bauwagen eine Motorsäge entwendet. Wir müssen das aufklären. Wer also entsprechende Hinweise geben kann, soll es unverzüglich tun.«

Der große Simoneit trat einen Schritt vor und erklärte fest: »Jawohl.«

»Was?«

»Wir haben's gemacht.«

Sofort fuhr Vater dazwischen: »Von wem war die Idee?«

Bolles Marderblick huschte umher, als suche er eine Fluchtlücke. »Von mir ...«

»Na, warte mal, Bürschchen ...!« grollte seine Mutter, wobei sie klatschend auf die nasse Schürze hieb.

»Und wer hat das Werkzeug beschafft?«

»Ich«, sagte Simoneit. »Aus der Schmiede.«

»Und wer hat den Einbruch ausgeführt?«

Quitti gestikulierte stumm.

»Doch wohl ... nicht möglich?« zweifelte Vater verblüfft.

Wieder einmal überraschte uns Quitti durch plötzliche Beredsamkeit. Die Stirn voller Gelehrtenfalten, haspelte er geläufig: »Unsere Erwägungen führten zu dem Schluß, daß ich mich am besten eignen würde. Gerade im Hinblick auf die körperliche Konstitution. Die anderen wären in dem Fensterchen steckengeblieben. Deshalb hab ich's gemacht, weil ich dünner bin. Allerdings ging es auch bei mir nicht ohne Komplikationen ab. Schnittverletzungen, deren relative Geringfügigkeit ...«

In der Menge lachte jemand. Doch der Bauarbeiter, welcher gestern die Säge geschleppt hatte, wollte Quitti nun auf den Leib rücken: »Sofort rausgeben, das Ding. Ich bin dafür verantwortlich. Dir werd ich gleich den Arsch versohlen!«

Ohne Rücksicht auf die dräuenden Gebärden seiner Mutter stellte sich Bolle rasch vor Quitti. »Den fassen Sie nich an. Der wird mal Professor!«

Wieder lachten welche. Scharf erinnerte der ABV: »Ich möchte darauf hinweisen, daß es sich hier um einen Diebstahl handelt!«

»Wir wollten uns nichts aneignen«, sagte Simoneit.

»Was denn dann?«

»... nur, daß man's sich noch mal überlegt. Mit dem Baum. Ob er wirklich weg muß.«

Die Menge schwieg. Die beiden Traktoren böllerten in die Stille. Mit einemmal, wie auf Kommando, gingen die Köpfe herum. Da war die Linde. Leuchtend grün stand sie vorm sommerhellen Himmel, überquellend von Blättern und Blüten, umflossen von dem unsichtbaren Schleier süßen Dufts. Plötzlich begannen alle durcheinanderzureden.

»Die Linde steht schon so lange hier, wie's das Dorf gibt!«

»Wo solln die Vögel hin, wenn der Baum weg ist?«

»Solch Prachtstück findet ihr in der ganzen Gegend nicht!«

»Fünfundvierzig hat er jemand das Leben gerettet!«

»Sogar für's Fernsehen haben sie ihn schon ab-
fotografiert. Heimatkalender!«

»Ist ja aber auch ... schön! So was Stattli-
ches!«

Die letzte Äußerung hatte Frau Bolle getan –
mit ungewöhnlich weicher Stimme und sich
gerührt über die Waschküchenschürze strei-
chend. Danach trat wieder Stille ein. Die Blicke
wandten sich Vater zu. Der grollte nach wie
vor. »Die Säge muß sofort herausgegeben werden. Wir lassen uns nicht mit Gaunertricks zur
Aufhebung eines demokratischen Beschlusses
zwingen. Daß der Baum gefällt werden soll,
war allgemein bekannt. Warum habt ihr nicht
früher Einspruch erhoben? Wir haben nur den
Empfehlungen auf der Bauzeichnung entspro-
chen.«

»Ich ...«, meldete sich mit zaghafter Stimme
Quittis Vater, »... habe auf der Sitzung zu
einem Kreisverkehr geraten. Aber keiner hörte
zu.«

»Hab ich nicht gehört. Wenn du bloß mal lauter sprechen würdest. Solln wir deinetwegen
ein Mikrophon anschaffen, August? Außerdem
konnten wir nicht stundenlang über den Baum
reden. Die Käfer saßen uns im Genick.«

»Das ist wahr ...«, murmelte Quittis Vater ein-
geschüchtert.

Fräulein Kugler sagte betont: »Ich finde, daß es hier nur eine Frage gibt. Ob der Beschluß richtig war. Sollte er falsch gewesen sein, dann muß man ihn ändern.«

»Wie denn!« schrie Vater und warf die Arme in die Luft. »Trommeln Sie etwa den Gemeinderat zusammen? Jetzt ...?«

»Man müßte es jedenfalls versuchen.«

Vater schwieg und atmete schwer. Er hatte Schweiß auf der Stirn. Er begann mir leid zu tun. Ich sah, daß er mit sich kämpfte. Er hatte bestimmt nichts Falsches gewollt, und er hatte in jener Sitzung den Kopf voll größerer Sorgen gehabt. Aber nun war der Anschein entstanden, als ob er bei der Entscheidung über den Baum nachlässig vorgegangen sei. Vielleicht hatte man die Angelegenheit tatsächlich nicht lange genug erörtert. Vielleicht hatte man sich wirklich zu schnell für die Bauzeichnung entschieden, die von einem Fremden gemacht worden war. Nur schienen jetzt eben nicht mehr die langen Stunden ins Gewicht zu fallen, die Vater sonst, oft bis in die Nacht hinein, am Schreibtisch zubrachte, sondern allein dieser eine mögliche Fehler. Wenn es ein Fehler war.

Schließlich kam Vater auf uns zu. In einem eigentümlichen Tonfall, in dem sich Vorwurf

und Anerkennung mischten, fragte er mich:
»Und du ... hast auch mitgemacht, bei dieser
Sache?«
Ich senkte den Kopf und nickte. Ich schämte
mich dieser Lüge. Vor ihm schämte ich mich.
Zugleich war ich froh darüber. Und als ich
dann zur Seite sah, bemerkte ich, wie der Blick
von Simoneit aufleuchtete.

Danach mußten wir den Gemeinderat zusammenholen. Die meisten trafen wir zu Hause an, weil Sonnabend war. Aber nach einigen Mitgliedern mußte ziemlich lange gefahndet werden. Stellmacher Kiemenscheit fanden wir beim Angeln an der Bäke. Er jammerte, daß jetzt gerade die beste Zeit für Rotfedern sei. Fleischer Wild konnte gerade noch gefaßt werden, als er in den Bus steigen wollte, um zu einer goldenen Hochzeit zu fahren. Schimpfend folgte er uns mit seinem Hortensientopf auf den Anger.

Dann wurde abgestimmt und beschlossen, den Baum an seinem Platz zu belassen.

Falls der Kreisverkehr mehr Kosten verursachen sollte, würde man das in Kauf nehmen. Ebenso wurde entschieden, den Arbeitern den verlorenen Arbeitstag zu entgelten.

Vater wollte sich anfangs der Simme enthalten. Er meinte, daß er sich nicht lächerlich machen werde. Und daß es vor allem sein Fehler gewesen sei, damals die Bedeutung des Baumes nicht richtig erfaßt zu haben. Aber endlich brachten ihn die anderen doch dazu, daß er sich eines Besseren besann und der neue Beschluß einstimmig zustande kam. Stellmacher Kiemenscheit verschwand sofort wieder zu seinen Rotfedern.

Als alles vorüber war, eröffnete uns Fräulein Kugler kühl: »Was ihr heute in der Schule versäumt habt, werdet ihr nächste Woche nachsitzen müssen. Jede Minute!«

»Ohne weiteres …«, grinste Bolle.

»Herzlich gern«, sagte Quitti und machte eine halbe Verbeugung.

Mit einemmal entdeckte ich, daß Gunna verschwunden war. Sie hatte uns beim Zusammenholen des Gemeinderats geholfen und war wie wir hierhin und dorthin gerannt, wobei das Schleifenband ihrer Pferdeschwanzfrisur hinter ihr herflog. Jetzt war sie nirgends zu erblicken. Nach einer Weile jedoch sah ich sie vom Konsum aus zu uns herüberlaufen. Dort stand noch die Briefträgerin mit ihrem taschenbeladenen Fahrrad. Gunna näherte sich rasch, und ich hatte das Gefühl, daß sie nur mich ansah. Sie schwenkte eine bunte Postkarte. Ihr Gesicht glänzte vor Freude.

Die Karte war von ihrem Vater. Er schrieb, daß sie mit der Arbeit früher fertig geworden wären und daß er bald nach Hause käme. Die Vorderseite der Postkarte zeigte einen prachtvollen Gebirgszug, dessen Gipfelkette weiße Schneepelze zierten. Das waren die Karpaten.

Wir besahen das Bild und standen zusammen,

wie früher und wie immer und als hätte es die ganze Aufregung um den Baum nie gegeben. »Auch bloß ... Berge«, spottete Bolle.

XIV

Als wir mit dem Ungetüm von Leiter, das uns Stellmacher Kiemenscheit geliehen hatte, bei der Linde anlangten, reckte sich der kleine Mann wieder.

»Tut Ihnen was weh?«

»Das Kreuz, ein bißchen.«

Er warf einen vorwurfsvollen Blick auf das staubige Motorrad, seufzte, nahm dann den klobigen Sturzhelm ab. Sein Haar war weiß. Über die Stirn liefen ein paar dicke blaue Adern.

»Ist eigentlich gar nicht meine Sache, dieses Umherfahren«, sagte der kleine Mann, wie wenn er jemand um Entschuldigung bitten müßte. »Dafür haben sie einen andern bei uns auf dem Amt. Der macht diese Touren sonst. Ein Junger. Aber den haben sie nun zu einem Lehrgang geschickt. Deshalb mußte ich mit der Karrete los und auch diesen Topf aufsetzen. Meine Frau darf es nicht wissen ... Das heißt, ich hätte nicht herkommen müssen. Müssen nicht. Ich wollt's mir bloß nicht nehmen lassen.«

»Was für'n Amt?« fragte ich.

»Denkmalspflege.«

Eine Weile hatten wir damit zu tun, die Leiter am Stamm aufzurichten. Ich mußte ihre Füße mit meinem ganzen Gewicht am Boden halten, während der kleine Mann sich von der anderen Seite unter die Sprossen schob und die Leiter, Griff für Griff, in die Höhe drängte. Als sie stand, verschnauften wir keuchend. Wiederum musterte er mich nachdenklich. »Und sonst weiß niemand, was da gewesen ist ..., mit diesem Mädchen Gunna?«

»Nein.«

Von neuem fragte ich mich verwundert, weshalb ich zu dem Unbekannten gleich Vertrauen gefaßt und ihm dann alles haarklein erzählt hatte, während wir die Leiter besorgten. Meine Verwunderung entging ihm nicht. Er spürte anscheinend, was ich dachte. Sein schwaches Lächeln wurde offen und herzlich.

»Ich werd's schon für mich behalten, Alice, kannst ganz ruhig sein. Aber schön von dir ist's doch gewesen, daß du mir alles erzählt hast. Es schadet nichts, wenn man Vertrauen hat.« Versonnen schaute er nach oben. Schließlich fuhr

der kleine Mann beinahe andächtig fort: »Ein alter Baum ... Ein sehr alter Baum. Er hat immer hier gestanden, seit Menschengedenken. Er war allen schon so vertraut und selbstverständlich geworden, daß ihn kaum einer mehr beachtete und es gleichgültig schien, ob er nun bleibt oder nicht ... So was kann leicht geschehen, nicht nur bei Bäumen. Wenn man etwas übersieht, kann man's nicht mehr schätzen. Manchmal muß man es erst wieder richtig ... sehen lernen.«

Danach bückte sich der kleine Mann zu seinem Jägerrucksack. Er holte ein paar lange Nägel heraus, eine Zange, ein sauberes fünfeckiges Brettchen und legte alles zu dem dicken Hammer, der mich anfangs erschreckt hatte.

»Na, was ist? Willst du's machen?« fragte er mit seiner gewohnten und fast barschen Entschiedenheit.

Ich nickte und stieg mit dem Werkzeug die Leiter empor. Ungefähr drei Meter über dem Boden nagelte ich das Brettchen an den Stamm. Es war ein schönes glattlackiertes Schild mit einer schwarzen Eule im Mittelfeld.

»Gut!« lobte mich der kleine Mann. »Ich hatte schon Bange, daß du die Nägel krummschlagen würdest. Schmeiß die Zange runter.«

Die Gardinen hinter Gunnas Mansardenfenster bewegten sich noch immer leise, aber niemand schob sie zur Seite. Wenn uns Gunna bemerkt hätte, wäre sie bestimmt herausgekommen. Vermutlich hatte sie hinten bei den Hühnern zu tun.

Ohne mich ordentlich zu verabschieden, ließ ich den Fremden stehen und rannte zu Priebes gelbem Haus hinüber. Ich freute mich drauf, Gunna das Schild als erste zeigen zu können. Ich freute mich, weil ich wußte, wie sehr sie sich darüber freuen würde.